La caja de Tiqüiqué

MW01003017

texto de Julia Laureano Reyes   **ilustraciones de Obadinah Heavner**

Harcourt

Orlando   Boston   Dallas   Chicago   San Diego

Visita *The Learning Site*

www.harcourtschool.com

ISBN 0-15-329834-0   3 4 5 6 7 8 9 10 121 10 09 08 07 06 05 04

Ordering Options
ISBN 0-15-329664-X (Collection)
ISBN 0-15-331124-X (package of 5)

¿Qué llevas en la caja, Tigüero?

¿Una cigüeña risueña?

No, amigo gato.

No es una cigüeña risueña. ₃

¿Qué llevas en la caja, Tigüero?

¿Una yegüita bonita?

No, amigo cerdo.

No es una yegüita bonita. 5

¿Qué llevas en la caja, Tigüero?

¿Un pingüino fino?

No, amigo zorro.

No es un pingüino fino.

¡Ya vemos! Es un perro.

Igual que tú, amigo Tigüero.